Lee Aucoin, *Directora creativa*
Jamey Acosta, *Editora principal*
Heidi Fiedler, *Editora*
Producido y diseñado por
Denise Ryan & Associates
Ilustraciones © Susy Boyer
Traducido por Santiago Ochoa
Rachelle Cracchiolo, *Editora comercial*

Teacher Created Materials
5301 Oceanus Drive
Huntington Beach, CA 92649-1030
http://www.tcmpub.com
ISBN: 978-1-4807-4035-8

Boris y Bea

Escrito por Sharon Callen
Ilustrado por Susy Boyer

Boris el basset y Bea eran muy buenos amigos. Bea había recibido a Boris de manos de su tía Kay, una doctora de animales.

Boris y Bea hacían ejercicio juntos. Leían libros juntos. Escuchaban música juntos. Cenaban incluso juntos.

Todos los días, Bea peinaba a Boris. Él movía la cola de alegría. Le encantaba que lo peinaran.

Todas las noches, Bea acomodaba a Boris en la canasta junto a su cama. Él roncaba feliz. Le encantaba dormir cerca de Bea.

Pero nunca movía la cola cuando ella lo sacaba a pasear. Bea estaba preocupada. ¿Cuál sería el problema?

—Boris es un perro saludable. Y te ama —le dijo la tía Kay a Bea.

—¿Entonces, por qué no le gusta salir a pasear? ¿Por qué no juega con otros perros? —preguntó Bea—. Cuando lo llevo al parque canino, simplemente se sienta a mirar. Nunca juega con los otros perros. A veces, no parece feliz.

Bea llevó a Boris a la clínica de la tía Kay. Ella le examinó los oídos, los ojos y las patas. Le examinó incluso el corazón. Estaba perfectamente saludable.

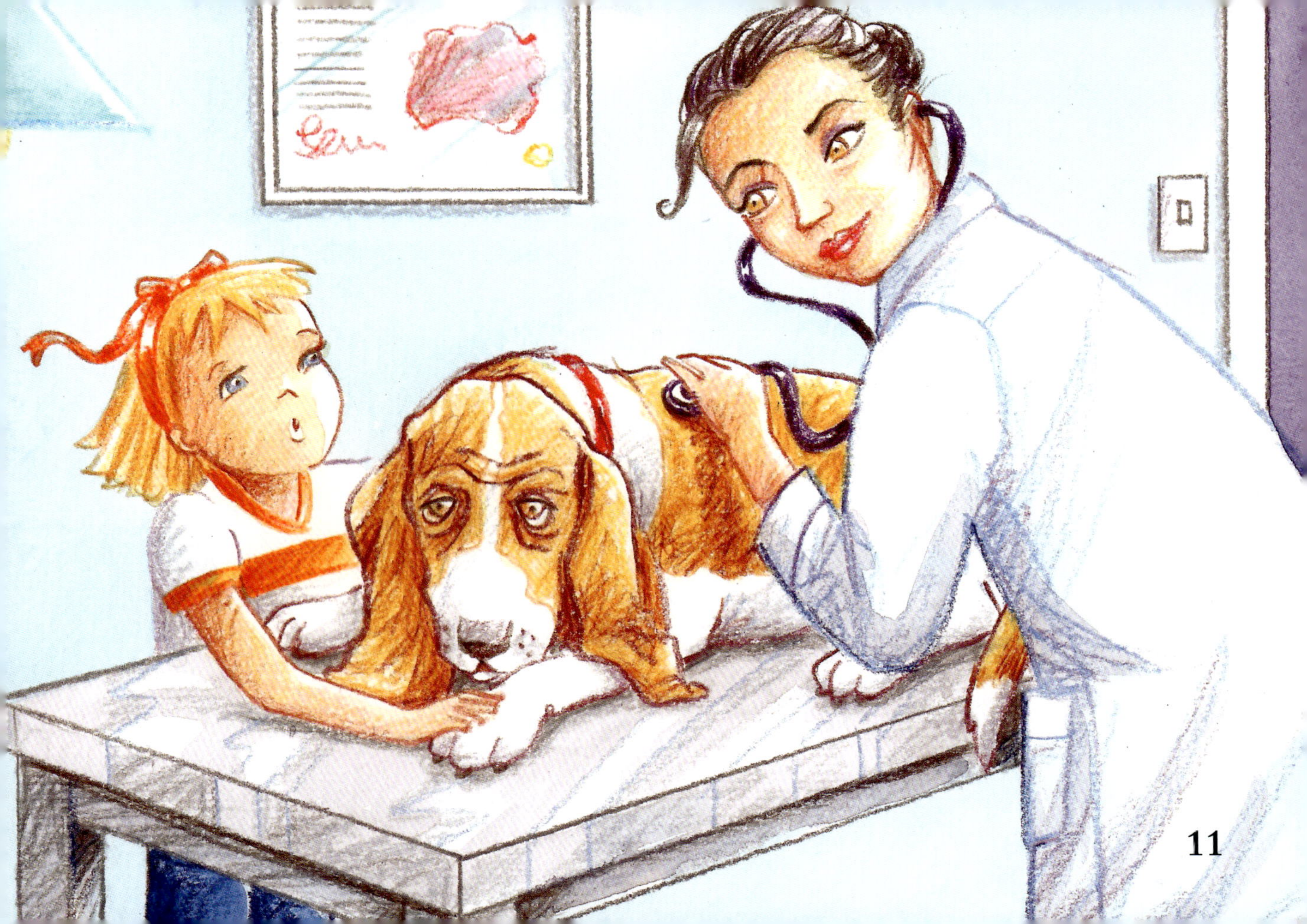

—Cuando Boris era mío, solía ser un perro de terapia —dijo la tía Kay.

—¿Qué tipo de perro es ese? Creí que era un basset hound —dijo Bea.

—Los perros de terapia visitan a los niños en el hospital. Se sientan en la cama y les ayudan a sentirse mejor.

—¡Entonces creció adentro, paseando por el hospital! —dijo Bea.

—Sí. ¡Creció con mucha gente! Creo que le gustan más las personas que los perros —dijo la tía Kay.

—¿Por qué me regalaste a Boris?
—preguntó Bea.

—Boris quiere especialmente a los niños. Y cuando fuiste lo suficientemente grande como para cuidar a una mascota, supe que era el regalo perfecto para ti. Sabía que serían muy buenos amigos —dijo la tía Kay.

Bea abrazó a la tía Kay.

—¿Boris puede ser de nuevo un perro de terapia? —preguntó Bea—. Creo que extraña a los niños.

—Estoy segura de que le gustaría —dijo la tía Kay.

Entonces, todos los días de camino a la escuela, Bea llevaba a Boris al hospital infantil.

Él permanecía un rato con cada niño. Los hacía sentirse mucho más felices.

Al salir de la escuela, Bea recogía a Boris. Luego, se iban juntos a casa. Boris movía la cola cada vez. Ya no parecía triste.

Y cuando llegaban a casa, hacían cosas juntos. Tal como lo habían hecho siempre.

Boris era muy feliz. Y Bea también.